APPRENTIS LECTEURS

SANTÉ

Où va ce que tu manges?

Wiley Blevins

Texte français de Claude Cossette

Éditions SCHOLASTIC

Catalogage avant publication de Bibliothèque
et Archives Canada

Blevins, Wiley
Où va ce que tu manges? / Wiley Blevins;
texte français de Claude Cossette.

(Apprentis lecteurs. Santé)
Traduction de : Where Does Your Food Go?
Pour les 5-8 ans.
Comprend un index.
ISBN 0-439-94801-0

1. Digestion--Ouvrages pour la jeunesse.
I. Cossette, Claude II. Titre. III. Collection.

QP145.B5414 2005   j612.3   C2005-905056-X

Conception graphique : Herman Adler Design
Recherche de photos : Caroline Anderson
L'illustration en page couverture montre un schéma du système digestif.

Édition publiée par les Éditions Scholastic, 175 Hillmount Road, Markham (Ontario) L6C 1Z7.

5 4 3 2 1   Imprimé au Canada   05 06 07 08

Quand tu manges, ta nourriture
commence un voyage.

Le voyage débute dès la première bouchée.

Ensuite, la nourriture se rend dans chaque partie de ton système digestif.

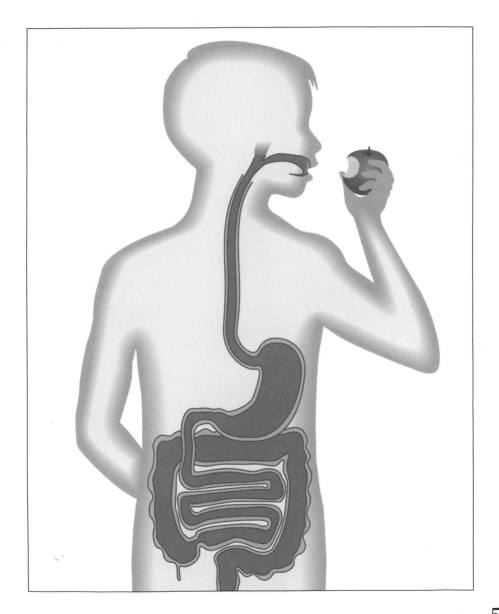

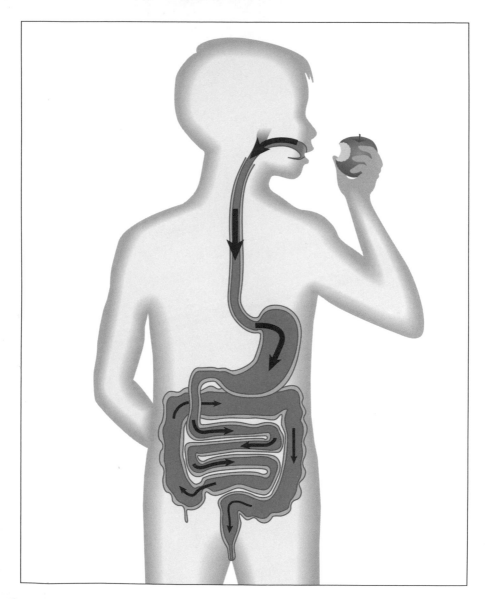

Digérer veut dire défaire en morceaux plus petits. Quand la nourriture voyage dans ton corps, elle se décompose en morceaux plus petits.

Ton corps utilise ces morceaux de nourriture pour obtenir de l'énergie. Il a besoin d'énergie pour rester en vie.

CROC! Tu mords dans une pomme. Quand tu mastiques, tes dents broient la bouchée.

Dans la bouche, un liquide spécial qu'on appelle salive ramollit la nourriture.

La salive contient des produits chimiques qui aident à décomposer la nourriture.

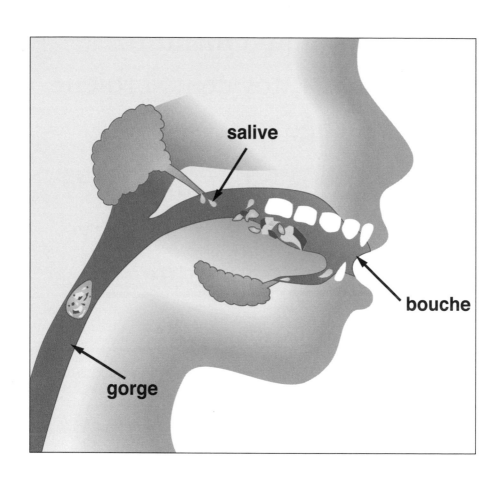

Maintenant la nourriture est décomposée en morceaux plus petits et plus mous. Il est temps de l'avaler.

Gloup!

Quand tu avales, les morceaux de pomme descendent dans ton corps.

Ils passent tout d'abord par l'œsophage. C'est le tube qui relie ta gorge à ton estomac.

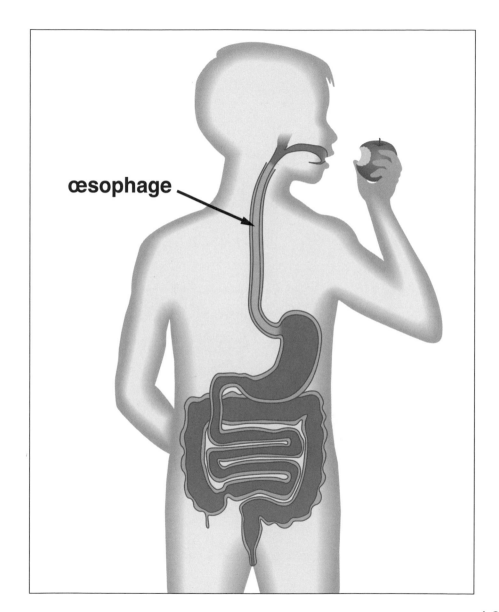

œsophage

13

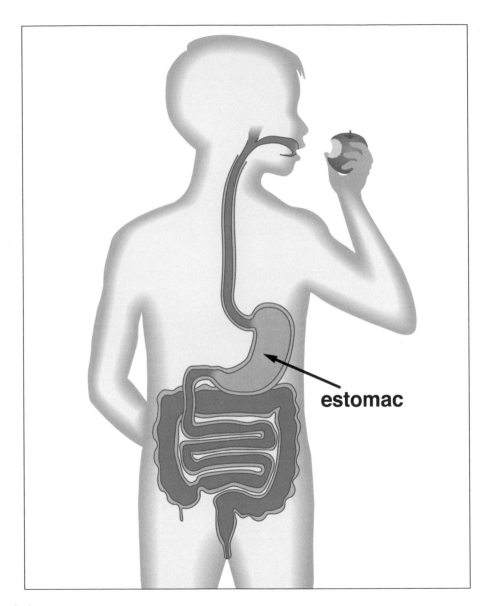

estomac

Ploc!

Les morceaux de pomme atterrissent dans l'estomac.

L'estomac est comme un petit sac. Il est en muscles.

L'estomac contient des liquides spéciaux ou sucs. Les muscles mélangent ces sucs à la nourriture. La nourriture se transforme en un liquide épais.

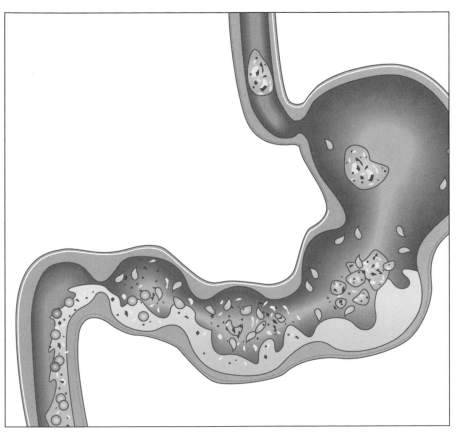

estomac

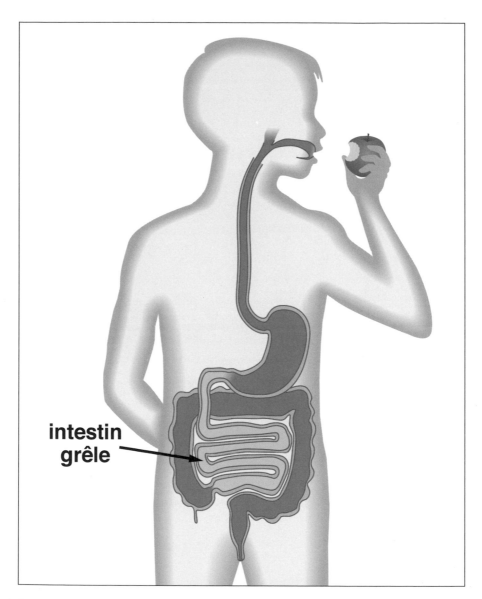

intestin grêle

Ensuite, les muscles de l'estomac envoient le liquide épais dans l'intestin grêle.

L'intestin grêle est un tube long et étroit. Il peut faire plus de six mètres de longueur!

L'intestin grêle a un travail important à faire. Il doit finir la digestion de la nourriture.

Ici, le liquide épais est transformé en liquide clair.

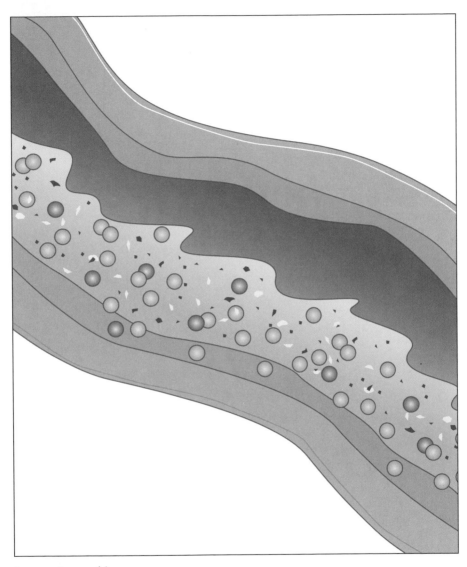

intestin grêle

La nourriture contient des nutriments. Ils t'aident à te développer.

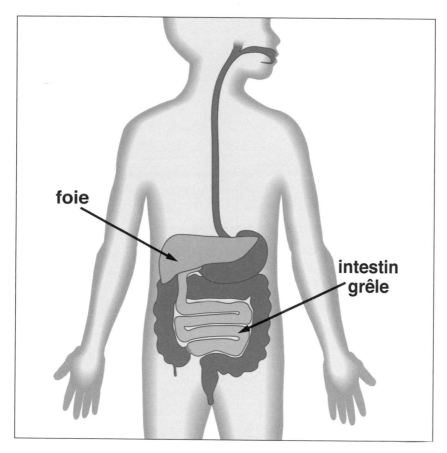

foie

intestin grêle

Ces nutriments passent à travers les parois de l'intestin grêle pour aller dans les vaisseaux sanguins.

Les vaisseaux sanguins apportent ces nutriments au foie. Le foie les envoie dans toutes les parties de ton corps.

Certains éléments de la nourriture ne peuvent pas être décomposés en plus petits morceaux.

Ces éléments sont appelés déchets. Les déchets se dirigent vers le gros intestin.

Le gros intestin est aussi un long tube fait de muscles. Il mesure environ un mètre et demi de long.

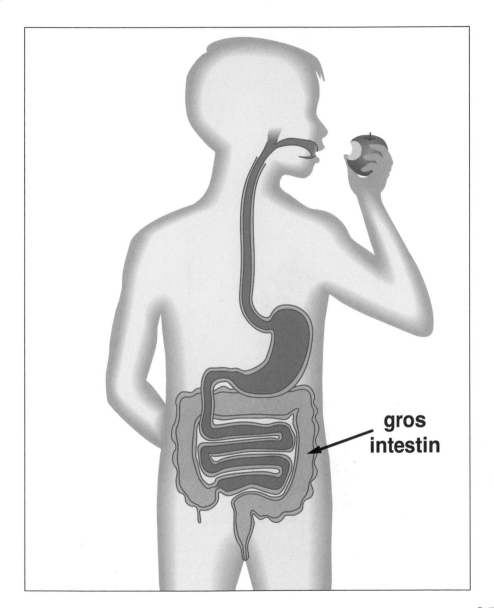

gros intestin

FILLES

Toilettes
des filles

Les déchets solides circulent dans le gros intestin et sont expulsés du corps quand ils arrivent au bout.

C'est ce qui se passe quand tu vas à la toilette et que tu fais une selle.

Les aliments que tu manges font tout un voyage!

Les mots que tu connais

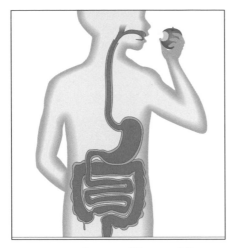

système digestif

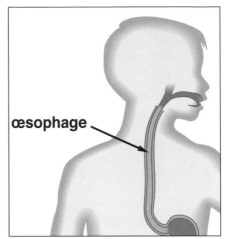

œsophage

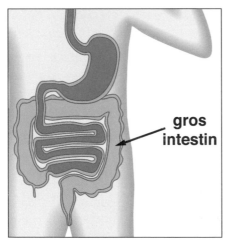

gros intestin

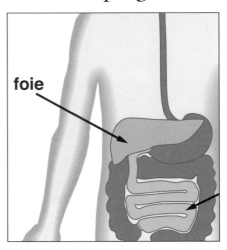

foie

30

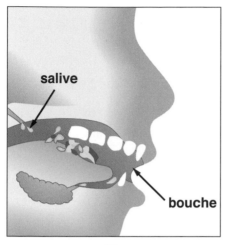

salive

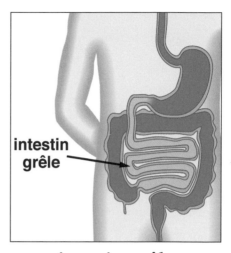

intestin grêle

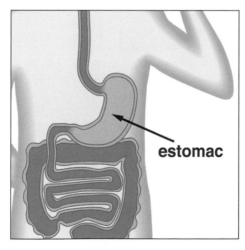

estomac

Index